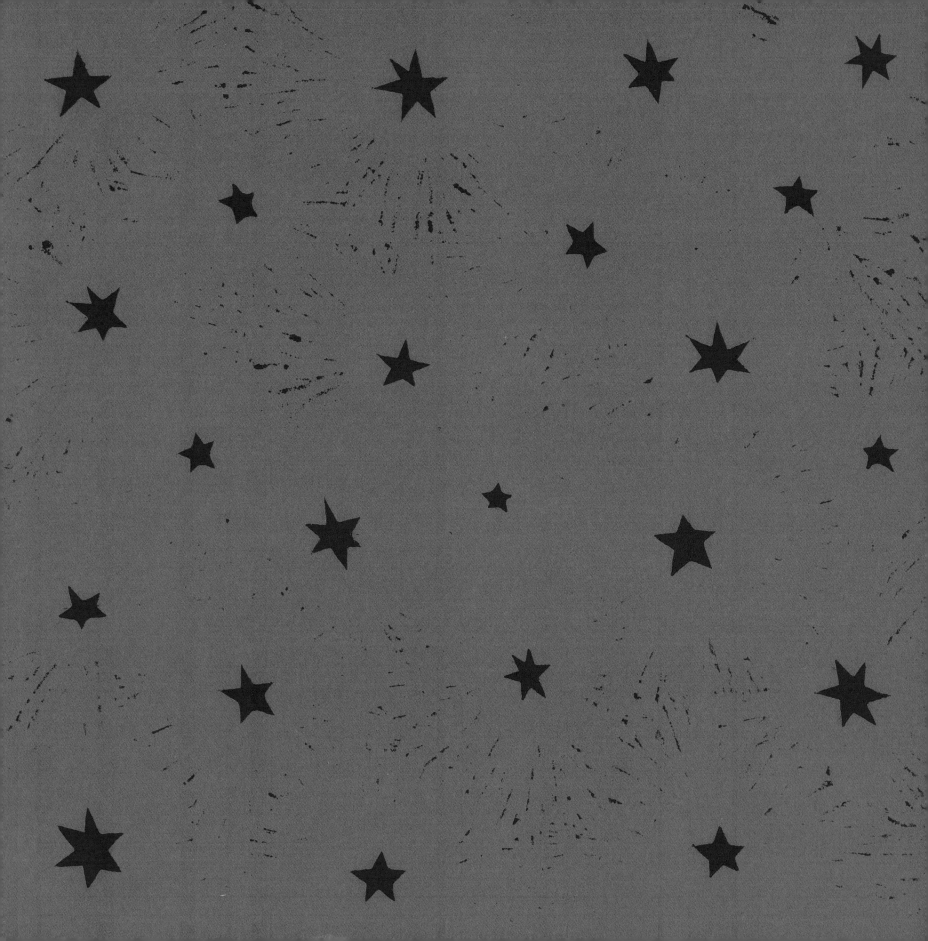

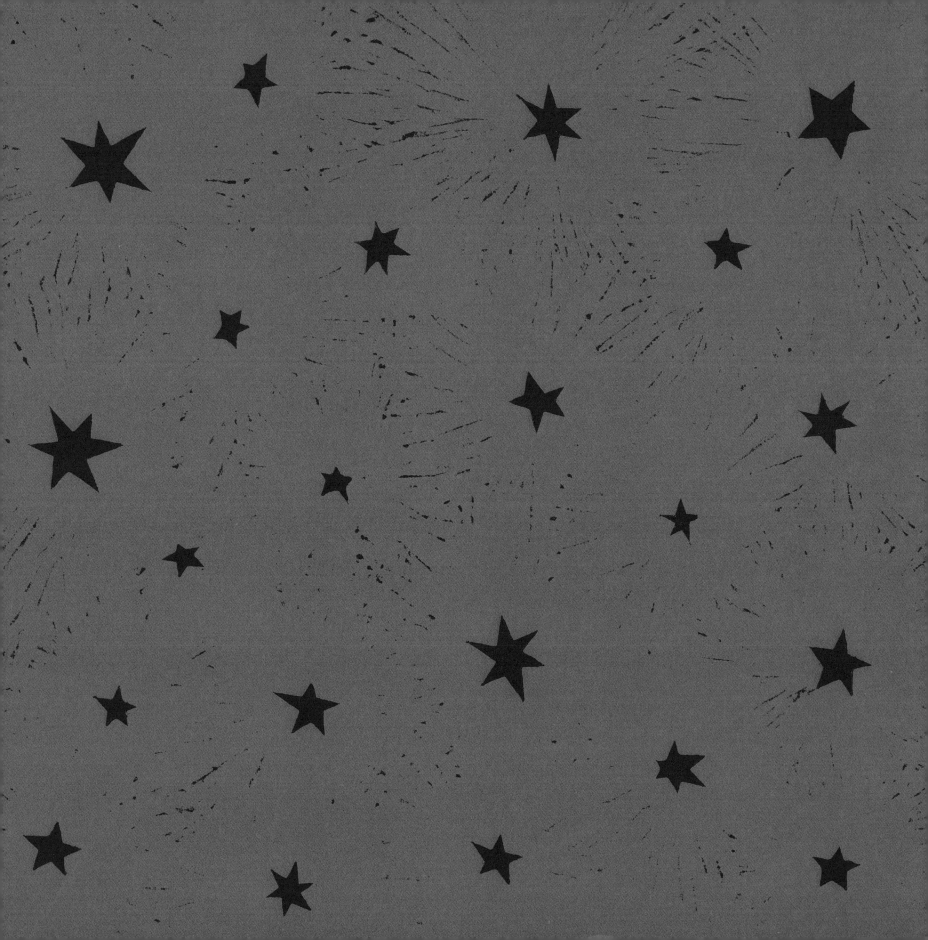

图书在版编目(CIP)数据

飘着幽灵的小房子 /[日] 小原胜野文·图；任溶溶译. 一武汉：湖北美术出版社，2009.8
(海豚绘本花园系列)
ISBN 978-7-5394-2972-4

Ⅰ.飘… Ⅱ.①小…②任… Ⅲ.图画故事—日本—现代 Ⅳ.I313.85

中国版本图书馆CIP数据核字(2009)第134374号
著作权合同登记号：图字17-2009-027

飘着幽灵的小房子

[日] 小原胜野 / 文·图
任溶溶 / 译　责任编辑 / 吴海峰　曾 菡
装帧设计 / 王 中　美术编辑 / 王 超
出版发行 / 湖北美术出版社
经销 / 全国新华书店
印刷 / 上海中华商务联合印刷有限公司
开本 / 787mm×1092mm　1/12　2.5印张
版次 / 2009年10月第1版　2009年10月第1次印刷
书号 / ISBN 978-7-5394-2972-4
定价 / 26.00元

The Haunted House

Copyright © 2008 Kazuno Kohara
First published 2008 by Macmillan Children's Books, London.
Simplified Chinese copyright © 2009 Dolphin Media Co., Ltd.

策划 / 海豚传媒股份有限公司　网址 / www.dolphinmedia.cn　邮箱 / dolphinmedia@vip.163.com
咨询热线 / 027-87398305　销售热线 / 027-87396822
海豚传媒常年法律顾问 / 湖北立丰律师事务所　王清博士　邮箱 / wangq007_65@sina.com

飘着幽灵的小房子

[日] 小原胜野 / 文・图

任溶溶 / 译

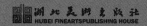

湖北美术出版社

HUBEI FINEARTSPUBLISHING HOUSE

从前有一个小姑娘，她要住到城郊一座古老的小房子里去。那地方倒是很好，只是有一个问题……

这小房子是……

……一座幽灵屋！

不过，这小姑娘也不是一个普通的小姑娘。

她是一个小女巫！

她会捉幽灵！

"好棒啊，"她说，"我希望这里
还有好多好多幽灵！"

她捉啊捉，好像不捉光决不肯罢休。

结果，她把房子里所有的小幽灵都捉到了。

然后她来到厨房……

把小幽灵们全扔进了洗衣机里。

洗干净以后，她把它们晾到外面花园里。

真是个晾东西的好天气啊！

晾干以后，大多数小幽灵成了很棒的窗帘。

其中一只小幽灵成了很好的台布。
也就是说，它们全都派上了用场。

干完了这番苦差事，
小女巫觉得累了。

还剩下最后两个小幽灵，她知道该拿它们来干什么……

从此以后，
大家都快快活活地住在小房子里了。

魔法世界的勇敢高手

徐榕（幼儿心理研究专家、童书作家）

不久前去一位朋友家，看到居室里竟然摆设了十几所小房子：楼房平房，各有意趣；娃娃动物，各得其所；休闲娱乐，应有尽有；离奇的是，小房子里还安插了许多妖魔鬼怪，相安无事，其乐融融。精巧、奇特的物件和设施，都是朋友一点点、一样样配置和营造的。我迷醉在童话般的意境中，情不自禁把自己也投射到那样的生活里。

现在，走进小原胜野编绘的《飘着幽灵的小房子》，同样有迷醉之意。

一个小姑娘，住进一所小房子。不是一般的小房子而是幽灵屋，飘飘软软、白白透透的幽灵，倒有几分可爱；不是一般的小姑娘而是小女巫，戴上尖顶帽穿上大黑袍骑上长扫帚，没费几分力气，幽灵全都束手就擒。

小姑娘把捉到的幽灵送进洗衣机，清水洗过太阳晒过，幽灵们乖乖地变成了笑眯眯的窗帘笑眯眯的桌布笑眯眯的盖被，一切尽在掌握，多么快活的小房子，多么宁静的夜啊！

"从前有个小姑娘……"这样的开头有一种久违的亲切，在大人的心目中，译者任溶溶的名字和他们的"从前"印刻在一起。在开始的跨页里，小姑娘"要住到一座古老的小房子里去……这小房子……"充满悬疑和未知，孩子一不小心就被"捉进"故事；在结尾的跨页里，"从此以后，大家都快快活活地住在小房子里了"，皆大欢喜，孩子心满意足地从故事中"释放"。首尾两个跨页，房外房内，从变化的外部环境切换到从容的内心世界。故事始终，小原胜野都进驻孩子的心房，保持着蹲下身子与他们对话的姿态；故事很简单，三言两语，低幼孩子很快就能复述；图画很简单，黑色的夜、白色的幽灵、橘色的背景，版画效果呈现出分明、跳跃，孩子很快就能集中视听；好玩和开心也很简单，不怯懦，有创造，孩子很快就能领会。文字和绘画高度配合，成就了这部处女作荣获"2008《纽约时报》十佳儿童绘本"。

常常听到大人哄骗孩子："宝贝快吃饭，不然好吃的就被妖魔抢去了。""宝贝快睡觉，不然就被鬼怪捉去了。"欺骗和吓唬小孩都是罪过，更是缺乏养育技能的表现。喂饱了哄睡了孩子，但可能面临更棘手的困扰：孩子吃下的梦见的，也许是对未知世界的恐惧。

——其实，孩子有能力合理地应对生活中的变化和困难，他们会和书中的小姑娘一样，成为勇敢的魔法高手。

常常看到大人用昂贵但娇嫩、经不起摆弄的玩具奖励孩子，却因为担心弄脏衣服和手，不让孩子捏玩泥沙或骑着扫帚自娱自乐。孩子有自定义的"玩耍"，他们更愿意陶醉在自己生成和营建的快乐中。

——其实，孩子具备丰富的、自我奖励的潜能，他们会和书中的小姑娘一样，成为有创意的娱乐高手。

常常遇到大人在快餐店里含情脉脉地看着自己的孩子大快朵颐并且嘿嘿傻乐，但在图画书柜前面对孩子渴望的眼神，却狠得下心来："看过了，不买了！"殊不知，味蕾刺激的快感瞬间即逝，阅读生发的愉悦却能经久回味。

——其实，只要重返孩子的世界，品读图画书深长的意蕴，家长会和小原胜野一样，成为能与孩子平等对话的高手。

走出小原胜野的"小房子"，想到那位喜欢扮家家、搭房子的朋友，其实她也是有功力的"女巫"，是懂得自我犒赏的生活高手，年过半百的她经历过生命中不能承受之痛，我能理解"小房子"是她对理想生活的构建，就像离开故土、游学英伦的小原胜野，在"小房子"里也构建了一种生活态度：达观自信，举重若轻，不再害怕孤寂、失落和未知。

亲爱的小孩，快快打开这座"小房子"，有个勇敢的小姑娘，愿意陪伴你，走向未来的路。